Pleasant Goat and Big Big Wolf

④ 骑士沸羊羊

童趣出版有限公司编　　人民邮电出版社出版
北京

主要人物介绍

喜羊羊： 族群里跑得最快的羊，乐观、好动，永远带着微笑。由于他每次都能识破灰太狼的阴谋诡计，拯救了羊羊族群的生命，是羊氏部落的小英雄。

美羊羊： 美女羊，心灵手巧。她还是营养学家、美容师、模特儿……一切与"美"有关的事她都精通，是大家跟风模仿的对象。

懒羊羊： 最聪明的小肥羊之一，最喜欢的运动是睡觉。他聪明机智，而且临危不乱，总是一副大智若愚、举重若轻的样子。

沸羊羊： 最健壮的羊，也是最鲁莽的一只羊。经常是一副很酷的样子，总爱持反对意见，以为自己英伟不凡，天下无敌，其实很多时候都无能为力。

慢羊羊： 羊村村长，最年长的羊。博览群书，平时最爱搞小发明，是个乌龙发明家，但危急时又能派上用场。动作总是慢吞吞的，常把身旁的羊急死。

灰太狼： 住在青青草原对面的森林里，是个"聪明"又倒霉的坏蛋，爱钻研抓羊技巧，一有机会就去搔扰羊部落。他永远想偷羊吃，却永远被羊羊们打败。

红太狼： 灰太狼的老婆，贪婪、虚荣、忌妒、狠毒。虽然长得一般却总打扮得豪华高贵，自以为天下最美。总是逼着灰太狼去抓羊，自己却坐享其成。

月光下的荒野中……

嗷……

向羊村进军！冲啊！

慢！

就凭你们？

看我的！

冲呀！

3

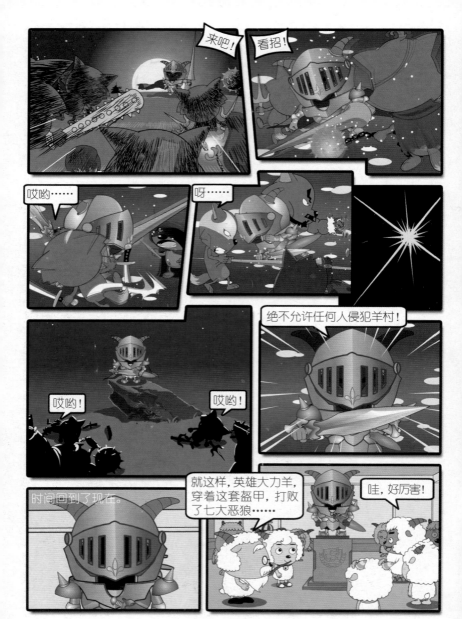

呵呵！烧烤好香啊！

沸羊羊怎么还不来呀？

哦，他说有一件很重要的事情要办，待会儿就来。

快来帮个忙！

来啦！来啦！

快来帮忙！

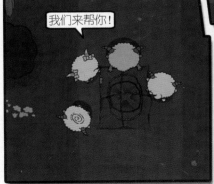

我们来帮你！

是什么东西呀？这么重。

5

我要穿上盔甲，去把灰太狼他们一网打尽，保卫羊村！

你真的要穿它呀？

啊？你……

哎呀，你小心一点。

你们快过来扶我一下！

我现在就去讨伐灰太狼！

大家就等着我的好消息吧！

他真的行吗？

真叫人担心呀！

在狼堡……

老婆，我正在做实验呢！

还差一点就成功了。

打倒灰太狼！

咦？什么声音？

是谁呀？谁敢来挑战！

那是什么东西呀？

打倒灰太狼！

我怎么知道？是机器人吗？

9

坏了！我怎么上去？

哎呀！挖得这么深了！

打倒灰太狼，
打倒灰太狼……

第二天，在树林里。

啊？来了！

灰太狼，你就
放马过来吧！

投降，我投降了！

这怎么行呢？还没有开
战，你怎么可以投降？

遇到你这样的英雄，我除
了投降还能有什么办法？

来抓我吧!

不行, 我是伟大的骑士, 不可以欺负没有抵抗力的人!

这样啊, 那我去向喜羊羊投降, 就让他来当羊村的英雄。

那好吧, 我以骑士的身份, 接受你的投降!

一、二……

你数什么呀?

三!

啊……

哈哈!

嗖!

我成功了!

砰!

灰太狼放出了表示成功的信号弹。

什么声音?

兔子?哼，等吃了肥羊再抓你们!

我们成功了!

回家吃涮羊肉了!

哇……现在怎么办呢?

不要再睡啦!

过了一会儿……

你们两个先回去,我马上去救沸羊羊。

不会的,等着我回来吧!

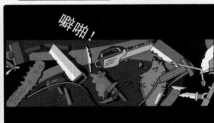

啊?你想把沸羊羊也一块炸死呀?

嘭!砰!

嘿啪!

我砸!看你开不开?

这是什么破盔甲,怎么这么难打开?手都麻了!

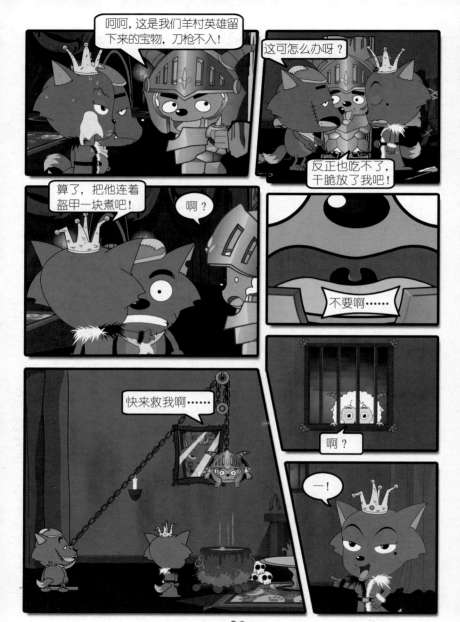

啊……

毛毛虫!

哈哈!

真厉害,马上就打开了……

啊,是喜羊羊?

快逃啊……

往哪儿跑!

跟我来!

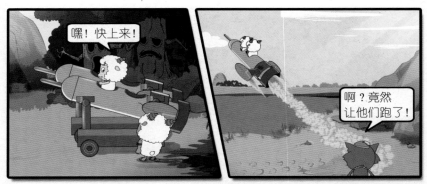

你有没有觉得方向不对？

这是在往哪儿飞呀？啊……

啊呀！！！

不要啊，我有恐高症……

羊博士

在狼堡······

开饭前看会儿书吧，开卷有益。啊······想死你们了，我的羊羊们！

没有羊肉吃的日子，煮点地瓜汤也不错。

全羊宴！真香啊！

放心，一定可以把羊抓回来！

25

你就知道说，可总也抓不到羊！

有话好好说嘛！

你快看这个！

比红太狼年轻的时候漂亮多了。

啪！

羊博士

是这张啊！看，羊博士！

不就是一只羊嘛,怎么啦?

这羊博士跟抓羊有什么关系?你想让我假装羊博士?

对,就是让你混进羊群中去当羊博士!

这样像吗?

啊?不是吧?

绝对像!没问题!

大肥羊学校……

啊？出去看看！

等等我！

哪里逃！

快跑啊！

你跑不了了，哈哈！

不好，我们还是出去救他吧！

千万不要随便开门！那只羊怎么那么眼熟啊？

嚓！

不是吧？红太狼，不用动真格吧？

这次外出进行巡回防狼喷雾介绍演讲，一直平安无事。

没想到在你们这里真的遇到狼了。

我叫"浪儿羊"，来自"浪力格浪"羊族部落！

浪儿羊？他就是羊博士！

好危险呀！

她想要吃了我。

我就不停地跑啊跑啊……

幸亏我多年研制的防狼喷雾把她给吓跑了！

孩子们，这就是大名鼎鼎的防狼专家——羊博士！

怪不得他的喷雾这么厉害!

是呀!

哎呀，过奖了,过奖了!

防狼博士？他怎么会被狼追成那样呢？

今天为了欢迎羊博士,我们准备了丰盛的晚宴。

上菜吧!

太好了,我都快饿扁了。

肯定是无比美味的晚餐啊！

啊！吃这个？是草……

羊博士，不用客气，多吃点。

恭敬不如从命。好歹尝一口吧……

待会儿请您参观一下我们村的防狼工程。

好的，好的。马上去吧！

博士，请跟我来。

这里就是我们村最新的第255期防狼工程，请多指教啊！

我还设计了这个遥控器。大家注意，防狼演习开始！

呜啦…… 呜啦……

我来装大灰狼。

一旦狼来了，我们就躲进隧道。

狼来了！狼来了！

哦！是这样呀！

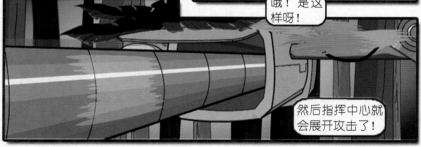

然后指挥中心就会展开攻击了！

长矛发射器！

翻滚狼牙棒！

投石阵地！

弹弓部队！

啊！哎哟！

进攻！

太可怕了！

问题是如果街道上还有羊，机关就会同时伤害他们！

还好我都看见了，要不就惨啦！

其实只要随身携带防狼喷雾就好了！

遇到狼就用防狼喷雾一喷……

什么豺狼、灰太狼、小白狼、蟑螂都被立刻赶跑！

哎呀，果然是防狼专家，太精辟了！

博士！您真是太有学问了！

过奖。来！一人拿一瓶。不用客气！

你们拿我的空气清新剂当防狼喷雾，一个也逃不掉！

我怎么觉得有些不对劲？让我查查羊博士的资料。

他屁股上有一撮烧焦的毛？

羊博士曾经有一次实验事故，屁股留下了一撮烧焦的毛。

走，去打开机关。

博士，您看……

啊？！

这是"捕狼尖竹阵"，您看看有什么地方需要弥补？

这么精密的机关，要是不小心踩下去肯定死定了！

唔，看上去还挺好看的，但是……不实用！

啊？这还不实用？

狼聪明而多疑，这么明显的机关是骗不了他们的。

应该把这些尖竹拆掉，换上软绵绵的干草。

啪！

37

哦！是这样啊……

这样狼就会完全失去警觉性！

还有这个！

这是"熏狼烟花"！

都要停止使用！

啊？我好不容易设计出来的……

我得想办法看他屁股上有没有被烧焦的毛。

让我看看！

看不见啊！

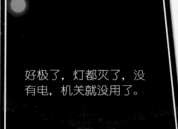
好极了，灯都灭了，没有电，机关就没用了。

砰！

我要给红太狼发出进攻信号！

这讨厌的灰太狼，怎么去了这么久？

这刀磨得真锋利啊！

咦？

听见信号了，准备出发！

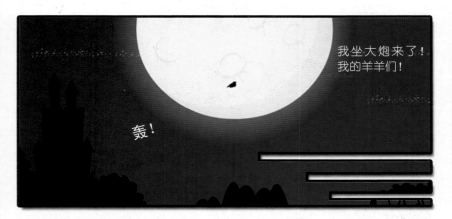

啊？她怎么不怕？

当然了，她是我的同族红太狼！

你……你不是羊博士呀？

我是灰太狼！

这几天你们让我天天吃草，今天我要吃羊肉！

我得想办法！

快追啊，灰太狼！

我来啦！防狼喷雾剂！

哧哧哧！

啊！

啊嚏！

我都说了，这是空气清新剂，你这不是找死吗？

当然，这是专门对付羊村铁门的"声控炸弹"，威力巨大！

他们会乖乖地把铁门给我打开……

哈哈哈哈……

你发烧了吧？那些羊可没那么容易对付！

他们要是不肯开门，只要说出三个字，就能引爆我的"声控炸弹"！

就是不……

唔……这三个字！

哪三个字？

不开门？！

嘀！嘀！

哎呀！快逃啊！

你看！你一说，炸弹就启动了！

轰！！！

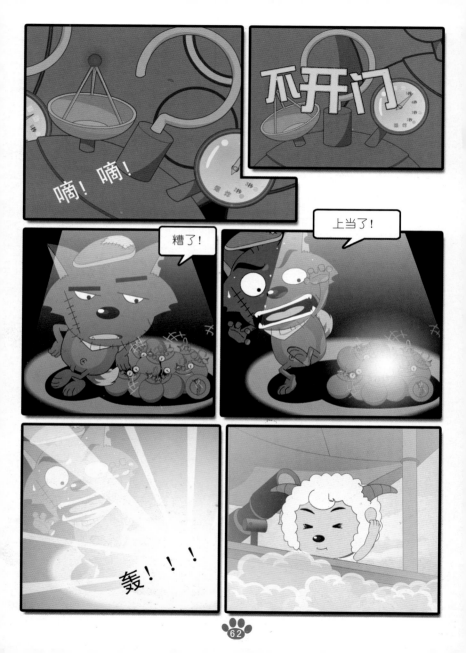

62

呜呜……

大肥羊学校……

村长，大概的情况就是这样的。

看来灰太狼是不会罢休的！

要是灰太狼再来可怎么办啊？

不用担心，只要我们大家齐心协力，一定能够打败他！

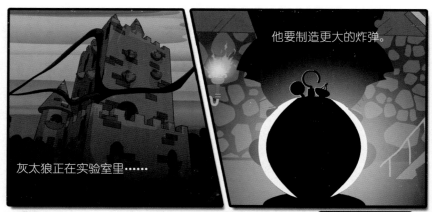

他要制造更大的炸弹。

灰太狼正在实验室里……

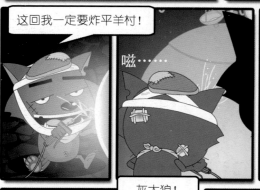

这回我一定要炸平羊村！

嗞……

我就要完成了！

灰太狼！

啊？！

你是怎么回来的？你身后是什么东西？

老婆，你怎么还没睡？

天花板上……

我是从那儿回来的。

这么大的炸弹！你想把这个家全都炸飞吗？

我身后是炸弹。

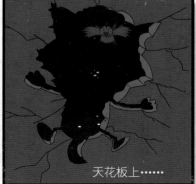

到了!

谁在叫我?

灰太狼、灰太狼!

怎么是只鸟啊?

灰太狼,我要让你的炸弹爆炸!

哈哈,一只会说话的鹦鹉!请问你怎么让它爆炸呀?

不——开——门!

拜拜!

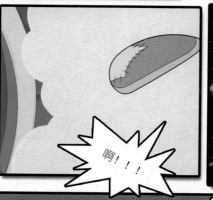

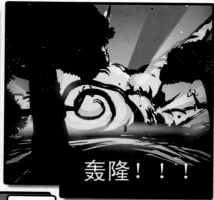

狼堡中……

麻辣涮羊肉，麻辣涮羊肉……让我来看一看！

开锅！

怎么还是稻草？

71

真的？快拿出来吧！

铛铛铛铛！这就是！

要爱护鸟类啊……

鸽子？怎么叫"基本一样"？

他们的颜色……基本上一样。
而且，吃起来味道也不错……

以我的智商，怎么会抓不到羊呢？

对了，就这么办！

狼羊和平谈判邀请函

搞定！

怎么把信送出去呢?

这鸽子这么小,怎么吃啊?

有办法啦!

听着小子,把这封信送到羊村,如果你逃跑,我就把你的小兄弟变成红烧乳鸽!

狼又有什么坏主意?

嘿嘿嘿嘿……

你怎么把晚餐放走了?

哎哟,你就等着吧!

羊村……

给！

啊？飞鸽传书？

正所谓"冤冤相报何时了"，大家注意这个"冤"字了吗？

都讲了三个小时了……

上面宝盖头少一点，下面一个兔字……

"冤冤"呢……

村长，还是让我来读吧！

狼羊数代你死我活，生灵涂炭，应该在我们这一代结束。

我还没说完呢，你这孩子！

特邀请贵部族进行和平谈判。地点: 河边红果林前空地。

明日下午四时。不见不散！爱你们的……灰太狼。

我想吐……

很明显，这是灰太狼的诡计！狼吃羊是天性，绝对是阴谋！

是吗？真可怕……

我倒觉得灰太狼求和可能是真的！

非也非也！

唔，你讲得有道理！

好吧！

签字吧！

热碳

嗞！

哎呀！烫死我了！

协议书

羊羊一族愿意[...]
从灰太狼的号令，并[...]
一只肥羊上贡！一经[...]
[...]具法律效力！

啪！

啊！太烫了！

[...]肥羊上贡！一经签字
画押，即具法律效力！

我怎么按手印了？

协议书

羊羊一族愿意从此听
从灰太狼的号令，并每天送
一只肥羊上贡！一经签字
画押，即具法律效力！

啊？怎么会这样？

81

不用了，少去一个就少一分危险！

来，喜羊羊，给你！

这是我研制的一个新发明，叫"跑得快"奔跑机。

跑得快！

让我来试验一下！

它能以十倍的速度奔跑，万一你遇到危险就用它！

呵呵！

啊！

沸羊羊！

哎哟！

……

喜羊羊！等一下！

可能是方向机关装错了。不好意思……

我要去救我的小兄弟！

家伙全在里面了，这只鸽子危急时刻可以当信差！

那我走了。

好了，大家在这儿等我的好消息吧！

跑得也太快了吧！

狼羊友好13条条约签署仪式

红果林里……

一切按原计划进行！

这群待宰的羔羊，怎么还不来受死呢？

他们来了没有？

沙沙！

里边热死了！怎么还没有羊掉下来？

老婆，想吃羊肉就要耐心一点。

嘿嘿！

哼，果然不出我所料！太狠毒了！

没问题！

协议书

灰太狼一家从即日起自愿放弃攻击羊羊一族，并永远在这个森林里消失！

喜羊羊

这和约写错了！

你看你的手！嘿嘿！

嗯？

烫烫烫！

哎哟！太烫啊！

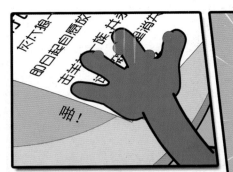

即日起自愿放弃攻击羊羊一族,并永远在这个森林里消失!

喜羊羊

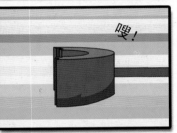

嗖!

喜羊羊! 你……

这协议你已经签字画押了,已经具有法律效力了!

我饶不了你!

啪!

啊! 不要!

吱嘎！

别跑，你给我站住！

咦？

不会吧？

嗖！

啊！

哈哈！终于来了！

扑通！

完

图书在版编目（CIP）数据

喜羊羊与灰太狼.4，骑士沸羊羊/童趣出版有限公司编.
北京：人民邮电出版社，2007.4
ISBN 978-7-115-16043-0

Ⅰ．喜… Ⅱ．童… Ⅲ．图画故事－中国－当代
Ⅳ．I287.8

中国版本图书馆CIP数据核字（2007）第044979号

喜羊羊与灰太狼4
骑士沸羊羊
责任编辑：莫　杨
封面设计：杜　平
排版制作：孙　羽
著　　作：广州原创动力动画设计有限公司　　www.22dm.com

出版发行：童趣出版有限公司编
　　　　　人民邮电出版社出版
地　　址：北京市东城区交道口菊儿胡同7号院（100009）
印　　刷：北京画中画印刷有限公司
经　　销：新华书店总店北京发行所
开　　本：787×1092　1/32
印　　张：3
版　　次：2007年4月第1版　2008年7月第11次印刷
字　　数：75千
书　　号：ISBN 978-7-115-16043-0/G
定　　价：10.00元

www.childrenfun.com.cn
读者服务热线：010-84015099

喜羊羊与灰太狼
Pleasant Goat and Big Big Wolf

···◀ 独家预告 ▶···

　　为了抓羊，灰太狼夫妇又施诡计。红太狼被雷击中昏迷，灰太狼心急如焚，他得到了老天爷的启示，只有为羊羊做好事弥补过错，红太狼才会醒来。灰太狼会为羊羊们做好事吗？